Diane de Bournazel

C'est comme ça chez moi
...

les vacances

PASTEL
l'école des loisirs

En vacances,
il y a du temps pour rêver

Des baobabs à escalader

Des villes entières à fabriquer

Une monture à dompter

Des territoires
à explorer

Des océans à traverser

Des poissons-tigres à pêcher

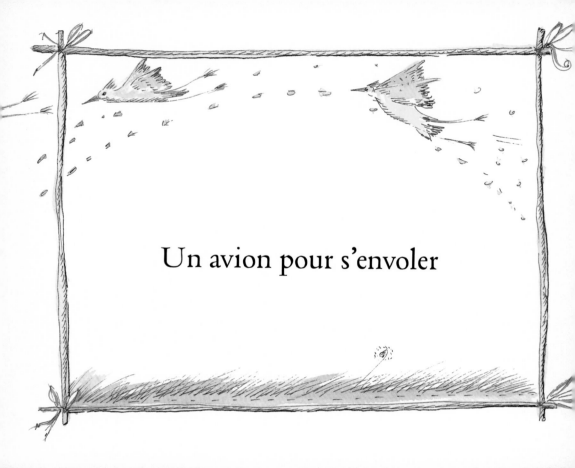

Un avion pour s'envoler

Une forêt vierge où se cacher

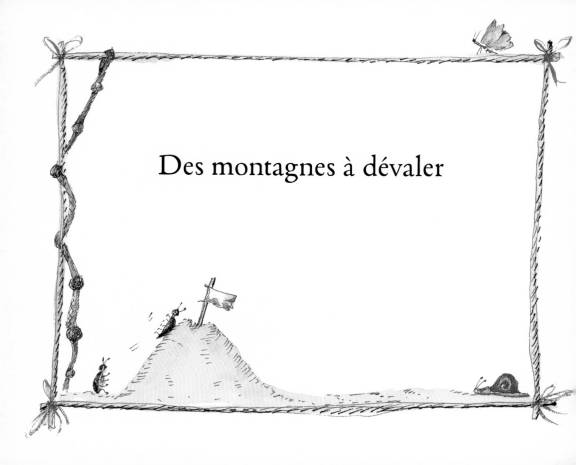

Des montagnes à dévaler

Une princesse à délivrer

Un bolide pour filer

Des bêtes sauvages
à apprivoiser

Des odeurs folles à respirer

En vacances,
il y a des moments tristes

Et des moments gais !